# 소피가 화나면,
# 정말 정말 화나면

몰리 뱅 글·그림 | 박수현 옮김

소피가 한창
놀고 있는데……

내 차례야!
언니가 고릴라를 움켜잡았어요.

"아니야!" 소피가 말했어요.
"맞아!" 엄마가 말했어요.
"이제 언니 차례다, 소피."

언니가 고릴라를
낚아채는 바람에……
소피가 트럭 위로
엎어졌어요.

이런,

소피가

진짜 화가 났어요!

소피가 쾅쾅 발을 굴러요.
악 소리를 질러요.
뭐든지 닥치는 대로
부숴 버리고 싶어요.

소피가
뻘겋게
시뻘겋게
소리쳐요.

소피는

막 터져 오르는 화산이에요.

소피가 화나면,
정말 정말 화나면……

콰당!
달려요!

달리고, 달리고, 달리고……

주저앉을 때까지 달려요.

그런 다음 훌쩍,

아주 잠깐 울어요.

짹짹
이제 소피는 바위를,
나무를, 그리고 고사리를 봐요.
지저귀는 새소리를 들어요.

그러고는 늙은
너도밤나무를 찾아가
나무 위로 올라가요.

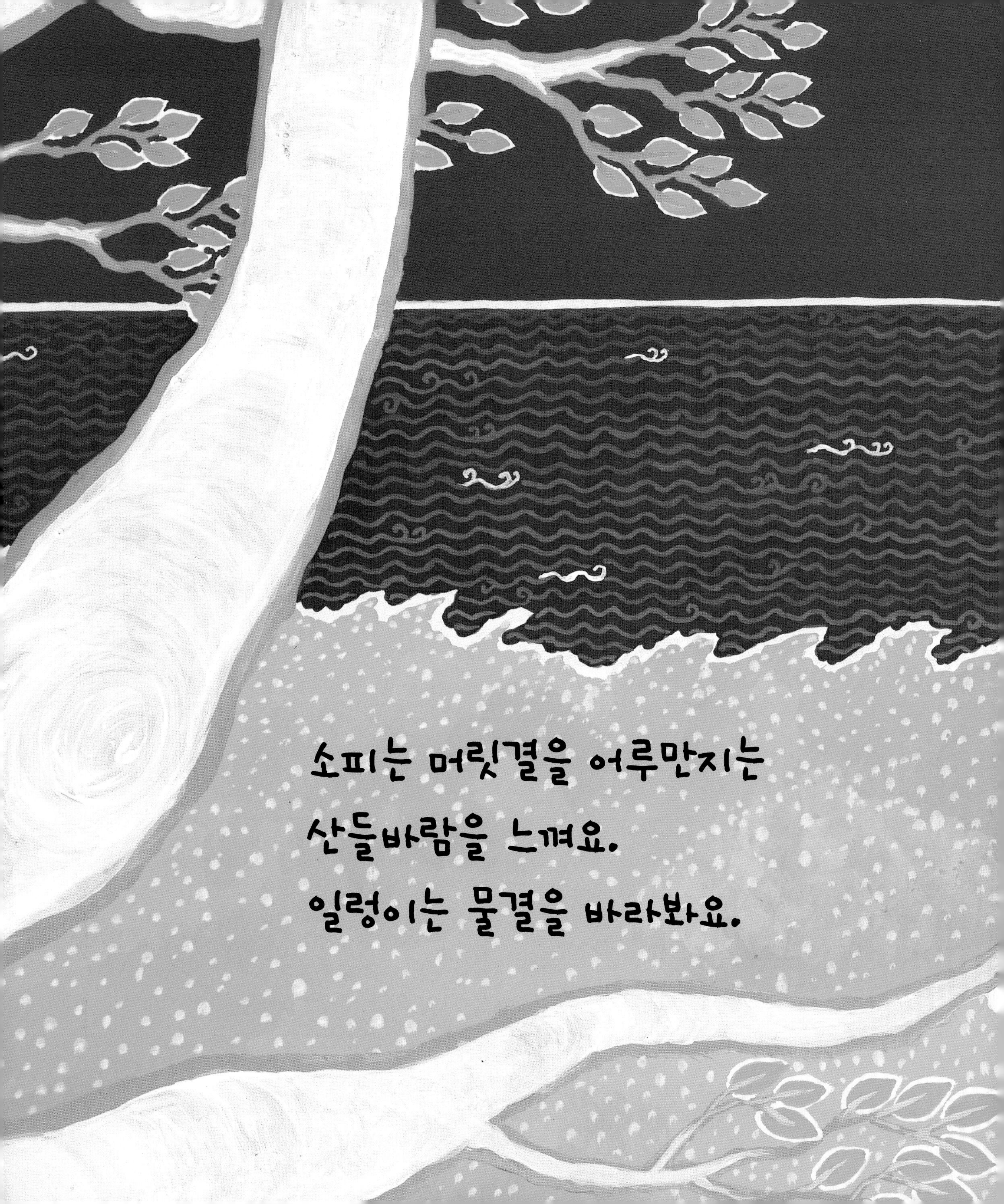

소피는 머릿결을 어루만지는
산들바람을 느껴요.
일렁이는 물결을 바라봐요.

드넓은 세상이
소피를 포근히 감싸 줘요.

이제 한결 기분이 나아졌어요.

소피는 나무에서 내려와……

짹짹
부엉
찍찍
끽끽
찍찍
집으로 가요.

따뜻한 집에선 좋은 냄새가 풍겨요.

온 식구가 소피를 반겨 줘요.

씨앗

모든 것이
다시 제자리로
돌아왔어요.

WEST WARD

소피도
이제 더는
화가 나지 않아요.
가르랑

**몰리 뱅** 글 · 그림

1943년 미국 뉴저지 주 프린스턴 시에서 태어나 일본, 인도, 방글라데시, 서아프리카를 돌아다니며 영어 강사, 통역사, 신문 기자를 비롯해 다양한 일을 했습니다. 서른 즈음에 그림책 작가의 길로 들어섰으며, 지금까지 스무 권이 넘는 그림책을 쓰고 그렸습니다. 《할머니와 딸기 도둑》, 《열, 아홉, 여덟》, 《소피가 화나면, 정말 정말 화나면》으로 세 차례나 칼데콧 명예상을 받았고 《윌리와 털보 아저씨》, 《할머니와 딸기 도둑》, 《태양이 들려주는 나의 빛 이야기》로 전미도서관협회 선정 주목할 만한 책 상을 받았습니다. 지난 2011년에는 어린이의 사회적 · 정서적 안정을 돕는 아동 문학에 크게 기여한 작가로 인정받아 루시 대니엘 상을 받기도 했습니다. 이 책 《소피가 화나면, 정말 정말 화나면》은 칼데콧 명예상 외에도 샬롯 졸로토 상, 제인 애덤스 평화상 들을 수상하며 널리 사랑받고 있습니다.
홈페이지 www.mollybang.com

**박수현** 옮김

중앙대학교에서 영문학을 공부했으며, 지금은 어린이와 청소년을 위한 책을 쓰고 옮기는 일을 합니다. 지은 책으로 청소년 소설 《열여덟, 너의 존재감》, 《굿바이 사춘기》, 청소년 학습서 《계획》(공저), 동화 《바람을 따라갔어요》, 《노란 쥐 아저씨의 선물》, 그림책 《시골집이 살아났어요》, 《내 더위 사려!》 들이, 옮긴 책으로 《시끌벅적 그림 친구들》, 《그냥, 들어 봐》, 《사진이 말해 주는 것들》, '엽기 과학자 프래니' 시리즈 들이 있습니다.

한 번이라도 화를 내 본 모든 어린이, 엄마, 아빠, 할머니, 할아버지, 고모, 이모, 삼촌에게
-몰리 뱅

작은곰자리 022

**소피가 화나면, 정말 정말 화나면**

초판 1쇄 발행 2013년 11월 26일 | 초판 11쇄 발행 2017년 6월 1일
펴낸이 임선희 | 펴낸곳 책읽는곰 | 출판등록 제313-2006-250호
주소 서울시 마포구 월드컵북로12길 74 102호 | 전화 02-332-2672~3 | 팩스 02-338-2672
홈페이지 www.bearbooks.co.kr | 전자우편 bear@bearbooks.co.kr | SNS twitter@bearboook
ISBN 978-89-93242-93-5, 978-89-960170-3-5(세트)

만든이 우지영, 최현경, 신수경, 엄주양 | 꾸민이 김태우 | 가꾸는이 정승호, 고성림, 전지훈
함께하는 곳 이피에스, 두성피앤엘, 월드페이퍼, 해인문화사, 으뜸래핑, 도서유통 천리마

이 도서의 국립중앙도서관 출판시도서목록(CIP)은 e-CIP홈페이지(http://www.nl.go.kr/ecip)와
국가자료공동목록시스템(http://www.nl.go.kr/kolisnet)에서 이용하실 수 있습니다.(CIP제어번호: CIP2013022814)